영원한

Eternal Covenant

계약

Eternal Covenant

영원한 계약

두근

두근

두근

두근

달싹..

두근

그간 보고드리지
않은 것은
없습니다.

이번에는 아까
제가 데려온 아이를
어떤 패거리가
납치하려는 일이
있었습니다.

그걸 막으려다가
시비가 붙어
싸우는 바람에 난
상처일 뿐입니다.

상대가… ……

셋이었기 때문에…

방심하다가 당했지만… 납치는 막을 수 있었습니다.

……

......

아뇨.

…알겠습니다.

이안은
아이들의 일이라면
앞뒤 안 가리고
행동하는 면이
있기는 하죠.

그렇지만
어떤 행동이든
기사단의 이름이
함께한다는 것을
잊으면 곤란해요.

…죄송합니다.

탓

한동안 이안의 기사단 직무를 정지하겠습니다.

예…?!

그동안 사소한 일은 봐주었지만, 이번 일은 징계를 피할 수 없는 사안이에요.

팟

그…!

문질‥

러셀에게 보고가 올라오는 대로 향후 처분을 결정할 겁니다.

그전까지 기숙사에서 근신하세요.

……

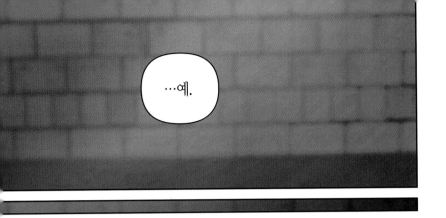

…예.

이안이
근신 처분을
받았다지?

그렇게 나대더니
언젠가는 그럴 줄
알았지.

헤론 님도
참을 만큼
참으신 거라고.

이 기회에
반성이나 좀
했으면 좋겠군.

어디 그 녀석이
반성할 놈이야?

듣자 하니
몰래 허튼짓을
하고 다닌다는
이야기도
있다고!

기사단의
수치
같으니라고…

헤론 님이 불쌍히
여겨주신다고
기고만장해서는…

공연히
물을 흐리더니 잘됐어.
그런 자식은 쫓아내든지,
평생 구석에 박아 둬야 해.

……

똑
똑
똑

이안.

잠잠...

며칠째지?
평소처럼
뻔뻔하게 굴 줄
알았는데…

쾅
쾅

너 식사는
하고 있는 거야?

쾅

이안!

…아무리
근신이라지만,
이렇게까지
죽은 듯이
지내다니.

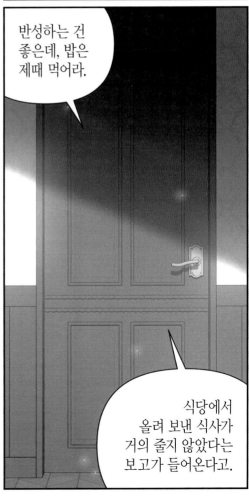

반성하는 건
좋은데, 밥은
제때 먹어라.

식당에서
올려 보낸 식사가
거의 줄지 않았다는
보고가 들어온다고.

만지작..

그날 이후로
더 추궁하지는
않으셨지만,
수상해 보였겠지.

…실망하셨을
거다.

문질..

……

톡톡톡

움찔

이…

끼이익

!

패액

엇…!

기사들 사이에서
네 이야기가
파다해.

이안 글로스터가
근신 명령을
받았다고.

나에 대해서는
단 한마디도
보고하지
않은 거지.

......

나의 안위를 위해서
내가 한 일은 숨기고,
이 녀석의 존재만을
이야기할 수도 있었다.

어쨌거나
이단의 능력을 쓰는
아르카이아의
귀족이라면,

사실이 어떠하든
나의 잘못까지도
덮어씌울 수
있으니까.

그렇지만,
그렇게 하지 못했다.

스륵

살면서 최초로 본
나와 같은 존재를
놓칠 수가 없었으니까.

하…

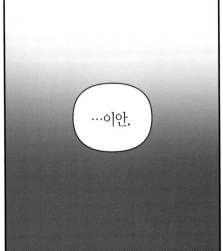

…이안.

해명?

처음부터 그럴
작정이었으면서
뭘 해명씩이나.

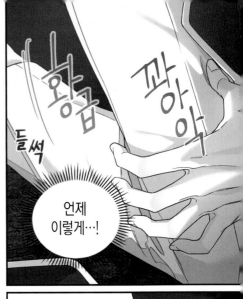

언제
이렇게…!

한 대 맞을 걸
각오하고 왔는데
말은 들어줘야지.

이런 미친…!

응?

……!
가까워…!

……

짜아아악

힘만
더럽게 세서는!!

빠득,

털썩

하…
해명해.

기회 줄 테니까
이거 놔.

수상한 거래 현장에
뛰어드는 건 내게
그리 어렵지 않아.

나와 가텔은
오래 전부터 거래를
하고 있었으니
크게 의심을 사지
않을 테니까.

그러니
가텔의 거래자
행세를 하면서

그 자선파티에
대해 알아볼
요령이었어.

거기서 문제는
바로 너야,
이안.

나…?

그 녀석들이 너와 내가 협력하고 있다는 것을 눈치채면 안 되잖아.

그 정도는 말을 맞출 수 있었잖아.

입은 뒀다 뭐 해?

네가 그렇게 침착한 성격으로 보이진 않았는데.

막상 현장에서 네가 어떻게 나올 줄 알고?

그 상황에서 침착함을 유지할 수 있을 정도로 날 믿고 있던 것도 아니면서.

......

스스로를 아주 모르진 않는 것 같아 다행이군.

나를 믿을지 말지, 그 이후의 내 행동을 보고 결정할 셈이었군...

보기 좋게 걸려들었다.

하...

...그럼 그 아이들은?

무사해.
안전하게
가텔의 저택에
있어.

!

가텔의 저택에?!
집으로 돌려보내지
않았어?

그 녀석들은
돌아가는 게
더 위험할 거야.

어차피 다시
노려질 테니까.

삘떡

뚜벅

뚜벅

억지로 데리고
가놓고서는
무슨 소리야!

뚜벅

그런 식으로 데려간 건
그 녀석들에게도
갑작스러웠겠지만,
설명하니 이해하더군.

뚜벅

이해…?

그 녀석들이
납치될 뻔했던 건
우연인 게 아니라
이유가 있었기
때문이야.

너도 설명을
듣는 것보다는
직접 보는 게
납득하기 쉽겠지.

가자.

…뭘…

아이들이
잘 있는지 궁금
한 거 아냐?

너도
알고 있잖아.
난 지금 근신
중이야.

그러니까 창문으로
나가는 거잖아.
누가 알겠어?

아니면,
계속 여기
갇혀 있으려고?

여기서?

나간다고?

다시
돌아와야 해.

…네가 원한다면
그럴 수 있어.

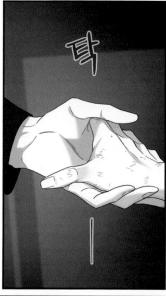

탁

!!

푸옹

?!?!?

후옥

가만히 있는 게
좋을걸. 지붕으로
다녀본 적 없잖아?

떨어지고
싶어?

잠깐,
너…!

이렇게
다짜고짜…!

대롱

대롱..

!

......

빠득,,

피식

옳지.

이…

한결같이

답 없는
새끼…!

납치한 놈으로
위장하려는
속셈이었겠지만,

끝까지 이 꼴로
둘러메고
오다니…

사
박

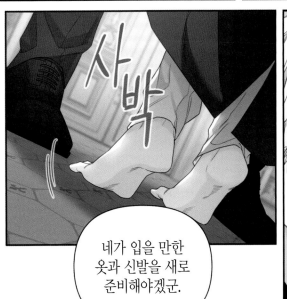

네가 입을 만한
옷과 신발을 새로
준비해야겠군.

그러니까
누가 그렇게
막무가내로…
하, 됐다…

어!
그 형아다…!

멈칫

너는…
무사했…

히히

로디!!

도다다다

와

락!

형아!

?!

그렇게 덥석덥석
사람 쫓아가지
말라고 했지!

성큼

움찔

성큼

또 무서운 아저씨들한테 혼이 나야만 정신을 차리겠어?!

이 아이의 형이다…!

이리 와!

아까랑 차림새가 달라.

잭 이 자식이 입혀 놓은 건가?

얼른 안 와?!

끄욱

뿌욱

……!

잠깐, 이 기척은…

이 녀석들이 노려진 건 이유가 있다고 했잖아.

흠칫

슥

뭐?

그 파티의 주최자는
사람이 아니라
이 마력을 사려고
하는 거야.

가서 무슨 연유로
마력을 모으는 건지
알아봐야 하지
않겠어?

네 발끝에도
못 미치는 수준이지만,
이 녀석들 둘 다
'마력'을 가지고 있어.

가텔의
이름을 빌려서
참석한다고?!

누가?
너랑 내가?

미쳤어?

그럼 잠입해서
어디까지 알아낼 수
있을 것 같은데?

인신매매가 일어나는
근본적인 이유가
거기에 있을 텐데.

넌 계속
가텔 같은 잔챙이들
목이나 그으며
지낼 건가?

……

넌 그걸로
만족할지
모르겠지만,

난 전쟁 소문이
어디서 흘러나오는지,
그 이유는 무엇인지
알아내려고 온 거야.

협력하기로
거래했잖아?

하…
…귀족 예법은
그다지 아는 게 없어.
번듯하게 구는 정도의
흉내만 가능해.

기사단의 기념
만찬식 참석용이군.
뭐, 좋아. 간단한 건
내가 알려줄 테니까.

잊어버리지만
않으면 돼.

옆에서 주워듣고
본 것 이외에 쓸만한 건
식사 예법밖에 없을 거야.

그럼 우선—

모양새부터 좀
다듬어볼까.

이게… 뭐…!

본판이 괜찮은 편이니, 매만지면 어디에 세워져도 그럴싸하겠지.

고운 피부에 생채기들이 이럴게나…

시중은 어떻게 할까요, 레아 님?

…직전까지.

네, 알겠습니다.

직전?! 그게 뭔데?

야, 잠깐.
너…!!

자,
꼬마 신사도
마저
입어 봐야죠.

왜 형아만
입어요?

……

뭐지?

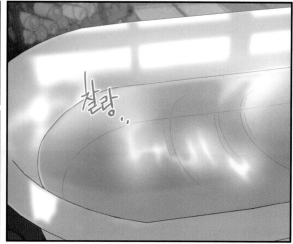

내가… 내가
벗을 테니까
내버려둬…!

……

이것저것
준비하길래
한참 실랑이를
해야 하나 싶었는데,

그대로 나가줘서
다행이라고
해야 할지…

대체 무슨
생각인 거야…

츄열

방금은 알기 어렵게
굴지 않았다고
생각하는데.

웅철

붐쓱

저벅

저벅

당연히 단장해야지.
몸 험하게 굴린 꼴로
파티에 가려고 했어?

저벅

하아…

휘적

온도는 적당하군.
늦지 않게
도착했어.

약을 풀었으니,
몸에 남은
상처들에도
잘 들을 거야.

기왕이면
향을 내는 오일을
떨어트리고
싶었지만…

네 몸에는
그것보다는
이게 낫겠지.

휘적

휘적

이젠 이 녀석의
미친 짓에 번번이
놀라는 것도
지친다.

또 왜 여기까지 쫓아 들어와서 난리야.

도와줄 사람이 필요할 테니까.

이것들을 네가 혼자 쓸 수 있다고 하진 않겠지.

…네가 그런 걸 할 줄 안단 말이야?

날 뭐라고 생각하길래?

…귀족이 아닌가?

남이 해주는 것만 받게 생겨서는…

……

다짜고짜 사람을 처박는가 하면, 구슬리려는 듯 친절하게 군다.

정신 차리고 보면 이 녀석이 좋을 대로 이리저리 휘둘리고 있어.

?

?!?!
....

푸핫…!

뭐라고
생각하긴.

모든 게 다
제 손바닥 위인 것마냥
구는 오만한
불법 입국자지.

…하여튼
성깔은.

촤악

멈칫

꽈아아
아
아
악

하.

굳이 네가
이렇게까지 할
필요 있어?

안 놔줄 거면
이쪽으로
뒤돌아 앉아.

시종들이
종알종알 설명해준 걸
까먹기 전에
저것들을 다
네 머리에 부어야
하니까.

타인이
네게 손 대는 걸
불편해하는 것
같았는데.
아닌가?

…언제부터
그렇게
배려했다고.

…시종보다는
내가 낫겠지.
적어도 셔츠와 바지
한 장 입고 사람 위에
올라탈 만큼은
가까울 테니.

무슨…!

처음부터?

팟

……

움직이지 마,
이안.

그래.
어쩔 수 없이
안심이 된다.

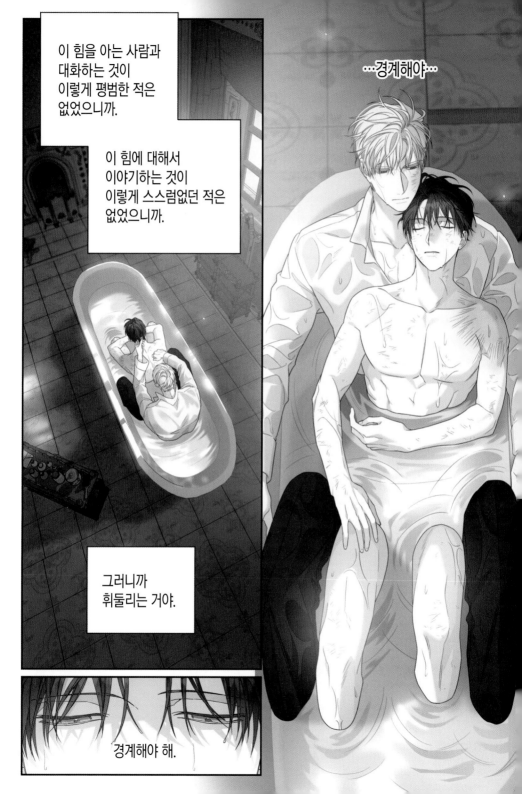

이 힘을 아는 사람과
대화하는 것이
이렇게 평범한 적은
없었으니까.

이 힘에 대해서
이야기하는 것이
이렇게 스스럼없던 적은
없었으니까.

···경계해야···

그러니까
휘둘리는 거야.

경계해야 해.

꾸벅,,

꾸벅,,

쓰담

며칠 동안 잠을
제대로 자지
못했나보군.

…웃어도
되는데?

웃음이
나오겠습니까?

저벅

시에나가 급히
모셔오라고 해서
왔더니만…

그새 기어코
찾아내셨다니.

솔레아이트
직속 기사
클로드 루웰.

거기서 더 가까이 오면—

아, 안 갑니다. 안 가. 누가 본다고 했습니까?

그래. 그 녀석이 먼저 발견하고, 숨긴 거지.

……

실제로 옆에 있으니 어때?

…신기하네요. 마력 저장고 같아요. 그만한 양을 몸에 담고도 아무 이상이 없다니.

확실히, 저희가 먼저 발견했을 수가 없겠습니다. 눈에 띄지 않았을 리 없어요.

데려가실 겁니까? 가능하겠어요?

이 녀석, 기사단 이라고요.

잘못하면 진짜로 전쟁 나는 수가 있습니다.

하고 싶은 말이 뭐야?

평범한 사람이었으면 시기를 봐서 숨겨갈 수도 있었겠지만…

기사단은 안 됩니다.

Walden
발덴

Perth
아르카이아 북부
퍼스 령

Arcaia
아르카이아

Derwin
데르윈

전쟁 소문이 파다한 마당에 위험을 감수할 필요가 없지 않습니까.

국경뿐만 아니라 아르카이아 북부까지 소문의 조짐이 있습니다.

평화조약을 맺은 지 이제야 20년이에요. 파기 명분을 이쪽에서 줄 수는 없습니다.

이 녀석을
여기 두고
가라?

…부정하지는
않겠습니다.

……

좌아악

좌악

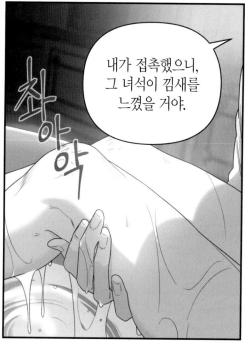

내가 접촉했으니,
그 녀석이 낌새를
느꼈을 거야.

늘 날을 세우고
있을 테니,
이안의 변화 정도야
금세 알아차리겠지.

이번에 놓치면
다음에야말로
찾지 못하도록
숨겨 놓을 것이
분명한데,

근신을 받았다는
것만 봐도 알만 해.

두고 가라는 건
포기하라는
말이군.

…알고도
걸려들 문제가
아닙니다.

넌 이 녀석이
얼마나 중요한지를
모르고 있어.

저벅

저벅

척

내가
뭘 찾아낸 건지,
그게 내게 어떤
의미인 건지.

명분?
그깟 걸 만드는 게
어려울까.

…알겠습니다.

시에나에게는 그렇게 전하겠습니다.

돌아가면 또 저만 혼이 나겠네요.

익숙하잖아?

하…

일렁

일렁

털썩

…네가 원한다면,
그럴 수 있어.

다시
돌아와야 해.

웅웅ㅡ

끼익

일어나야지,
이안.

스르륵..

더 자면
준비 시간을
맞추지 못할 거야.

?!?

언제
잠든 거지?!

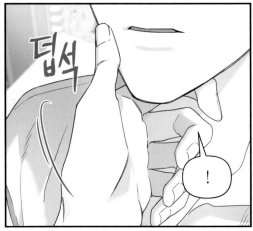

덥석

!

뻘떡!

상처가 꽤
호전되었군.

이만하면
옅은 화장으로
가릴 수 있겠어.

움찔

흠칫

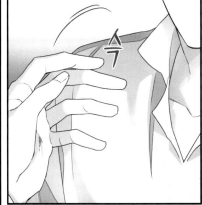

쓱

움찔

그럼 서두르자. 파티까지 남은 시간이 그리 넉넉하지 않으니까.

어?

어, 어.

예법은 옆에서 읊어줄 테니 기억해두고.

...응.

......?

이안이 혼자서 어떤 사건들에 몰래 관여하고 있다는 심증은 예전부터 있었습니다.

그런데, 그게…

그게?

…인신매매와 연관된 것 같습니다.

이안은 이 사건을 독자적으로 해결하려고 했던 것이 아닌가 싶습니다.

이번 브리잇취 주간 행사 참석에 유독 적극적이었던 이유가 그게 아닐는지요.

…사건의 진상에 대해서는 알아낸 것이 있습니까?

그날 쓰러져 있던
패거리들을
취조한 결과,

매매처라 예상되는
파티가 비밀리에
열릴 것이라는 정보를
입수했습니다.

겉으로는
자선 행사로
위장하고 있더군요.

자선 행사라…
열리는 날짜가
언제이죠?

오늘
저녁입니다.

그간 보고 드리지
않은 것은
없습니다.

......

쓸 만한
신분을 줄 테니,
살펴보고 오세요.

그 파티를
조사해 보는 것이
좋겠습니다, 러셀.

...예?
그 말씀은...

이안이 관심을
가졌다면
필시 이유가
있을 것입니다.

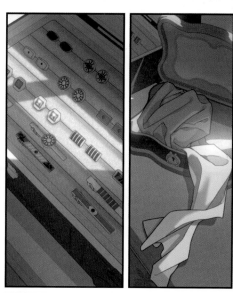

텁

!

터듬

......

이 자식이…

우린 그 파티에서
이목을 끌면
안 되는 거 아니야?

그런 것치고
너는 너무…

너무?

화려하지 않나?

장식이 많은 게 아닌데도.

……

원래 얼굴이 이렇게 생겼던가?

무슨 수로 이목을 끌지 않겠다는 거야?

움찔‥

시선이 간다고
생각하니,
눈을 마주치기가
힘들어진다.

됐고,
목걸이 내놔.
네가 갖고 있잖아.

척

내 옷도 네가
가져갔다고 들었어.
그 안에 있었을 거
아니야.

···어차피
그런 걸로는
네 마력이 다 숨겨지지
않을 텐데.

그거랑
내가 내 물건을
돌려받는 것과는
상관없지.

불법 입국자에
도둑이기까지 해?

이쪽은 걱정하지 않아도 돼.

?

눈 색이…! 어떻게?

아니,

눈 색만 바뀌었지 생긴 건 똑같잖아. 눈에 띈다고.

딥!

?!

쩍

생긴 게
눈에 띄어?

?

나는 그대로
보이는데?

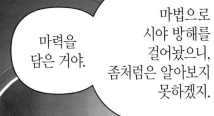

마력을
담은 거야.

마법으로
시야 방해를
걸어놨으니,
좀처럼은 알아보지
못하겠지.

너는
다르지.

뭐가…?

......!

잠깐, 얘도 가는 거야?!

...파티에 가려면 반드시 후원 대상자와 동행해야 해.

그런 곳에 데려갈 수는 없어!

브리잇취 주간이 끝나기 전까지는 별 탈 없을 거야.

'데르윈' 사람들이 믿는 그대로,

이 기간엔 어떠한 부정한 일도 일어나서는 안 되잖아?

너를 포함해서
안전은 내가
보장해.

이건
믿어도 돼.

탁

그저 평범한
파티라고 생각해.

틸썩

…무슨 일이 생기면
이 웃기지도 않는 행세
그만두고 내 마음대로
할 거야.

……

이안, 너는 충동을 좀 자제할 필요가 있어.

끼식

仆

이게 대체 누구 때문인데…

끼이이..

이랴!

털컹..

털컹..

털컹..

레이아 님의 은총은
공평하게 흐르지만,
그 은혜를 제대로
받지 못하는 이들이
있습니다.

그들을 위해
저와 여러분은
그분의 은총을
전파하는 전달자가 되어
이 자리에 모였습니다.

모두의 선행이 모여
레이아 님의 영광을
드높이는 등불이
될 것입니다.

데르윈에는 '그 힘'을 능숙하게 사용할 수 있는 사람이 없다.

그러니 그 힘을 모으려는 자가 있다면, 아르카이아인이 분명할 터인데…

이 정도로 크게 '자선'에 대한 보상을 내릴 수 있는 자가,

데르윈의 귀족을 휘어잡고 있는 거라면 보통 위험한 문제가 아니야.

그렇지만 정말로 그게 가능했다면, 이런 규모의 모임을 중앙에서 알아채지 못할 리가 없다.

데르윈 내의 인물인 걸까? …어느 쪽이어도 곤란해.

이 행사가
이 녀석의 말대로
전쟁 소문과
관련이 있다면…

그만한 권력을
가진 자가 전쟁을
이야기하고 있다는
거니까.

드르륵~

?

웃어야지,
이안.

그렇게
심통 난 얼굴로
앉아 있으면 너무
수상하잖아.

설마
못하는 건
아니지?

빠박

뿌직

큼큼.

흠.

내가
가텔 후작을 어떻게
구워 삶았다고
생각하는 거야?

피식

움찔

아,
턱을 괴면
안…

툭!

휙

뭐…

움찔..

머뭇..

뭘 어떡하라고…?

……?

저 뒷모습…
어디선가…

......

슥..

머뭇..

머뭇

이안.

이안?

퍼뜩

!

무슨 생각을
그렇게 해?

아이들을 방으로
보내야 한다는
안내가 있었어.

어, 응.
어디라고?

빌떡

왼쪽
복도 끝.

그래.

드르륵

가자,
파렐.

…네.

타
닷

피식

이거 갖고
놀 사람!

야, 하지 마!
망가지면
어쩌려고 그래!

왁자

너,
몇 살이야?

지껄

그간 사람을
팔았던 흔적만을
쫓았기 때문에,

이렇게
팔리기 직전의
상태를 보는 것은
처음이다.

이 많은 아이들을
대체 어떻게
찾아낸 거지?

이 아이들은
가지고 있는 힘이
작아서 그동안
눈에 띄지
않았을 텐데.

차라리 데리고
다니는 건 어때?

떨어져 있으면
무슨 일이
벌어졌을 때 바로
반응할 수가 없잖아.

아이를 데리고 다니면 눈에 띌 거야.

다시 나가기 전까지는 여기 있는 게 오히려 안전해.

......

내버려 뒀다가는 뭐라도 저지르겠군.

그렇게 걱정되면 이런 건 어때?

파렐, 손 내밀어 볼래? 이안, 너도.

?

이렇게요?

그래.

!

내 손목에
걸었던 것과
비슷해.

이 김에 마력을
의식하는 연습을
해둬.

집중하면 서로
연결되어 있는 게
느껴질 거야.

그 느낌을
따라가다 보면
서로 어디 있는지,
어떤 상태인지
알 수 있어.

느껴져.

……

근데,
이건…

형이 가진 건
이 사람이랑
더 닮았어요.

……

형이랑 나는
뭔가 다르네요.

확실히 파렐과 난 달랐어.

똑같은 '그 힘'인데 왜 다르게 느껴지는 거지?

뚜벅

마력은 세상을 창조한 두 신 중 루아루크의 힘에서 왔다고 해.

뚜벅

뚜벅

루아루크?

태초에 두 신이 있었고, 그 신들이 세상과 인간을 만들었다고 하지.

두 신이 세상을 창조하는 과정은 순조로웠어.

적어도 인간을 만들기 전까지는.

'전까지는' 이라니?

인간을 만들 때 둘의 의견이 대립했다나.

레이아는 자신과 닮은 존재로 인간을 만들되 힘은 주기 싫어했고,

루아루크는 그 힘을 주고 싶어 했거든.

그럼, 너랑 나는?

그래서 결국 두 부류의 인간이 탄생했다고 해.

마력을 지닌 자가 루아루크의 힘의 일부를 가진 셈이지.

파렐도 그럴 거야.

글쎄.

루아루크가 아닌 다른 존재이겠지?

너도
모르는…

!

곧 버릴 실패작들을
뭘 그리 단장해놨어?

끼이익

껌새를
알아차린 녀석들이
있는 것 같아서
말입니다.

타닷!

껌새를
알아차려?

아까
축사를 하던
녀석이다.

실패작이란 건
뭐지?

흐긋

얼마 전부터
현장을 들쑤시는
녀석이 있다는
보고가 있었습니다.

어쩌면 오늘도
섞여 들어왔을지도
모르잖습니까.

그럼 차라리 방으로 돌려보내. 기분 나빠서 원.

지하에 인형을 모아둔 것 같지 않나.

……

아이들과 같이 둬도 괜찮을까요?

끼이익

탁

어차피 세상 분간 못하는 천치들이야. 제까짓 것들이 뭘 안다고. 그 방에서 나가지 못하게 잘 감시해.

저 녀석들도 눈치를 챈 모양이야. 조심히 움직여야겠어.

일단 지하로 내려가 보지.

…대체
아이들을 모아서
뭘 하려는 걸까.

일렁‥

일렁‥

그 힘을
가진 아이들을
어떻게 찾아냈을
거라고 생각해?

두벅

마력을 감지할 수
있는 녀석이
있는 거겠지.

두벅

두벅

그렇게
미약한 마력까지
찾아낼 수 있는 걸 보면,
조절에 능숙한
녀석이야.

끼익‥

멈칫

……

타
시

마력을
뽑아내는 게
목적이었군.

아이들의
상태가…

생기라고는
하나도 없어.

너무 마르고… 마치…

죽은 것 같아.

마력은 '무언가를 해낼 수 있는 가능성을 가진 힘' 이라고 했지.

그건 생명을 상징하는 것이기도 해.

탓

이 녀석들은 마력을 추출당하다 못해 살아갈 수 있는 힘까지 빼앗긴 거야.

뽑아내는 양 조절에 실패한 결과이겠지.

이 파티의 주최는 분명, '곧 버릴 실패작' 이라고 말했다.

…이 아이들을 말하는 거였어.

버려지 같은
새끼들…

기라면 기어야지
어쩌겠어.
얼른 옮기자고.

아, 거참.
사람 귀찮게
오라 가라…

!

그냥
내버려두면
되지.

원하는 걸 손에 넣을 때까지 참을성 있게 기다려야지.

우리의 목적은 이 파티를 연 자들의 의중을 알아보는 거니까.

빠끔

빠끔

이럴 줄 알았지.

톡

움찔

짜

아

아

악

진정해. 여기서 흥분하면 아무것도 얻지 못해.

우린 아직 그들에게 다가가지도 못했어.

벌써부터 소란을 일으키면 곤란하잖아?

제기랄…

끄덕..

근데 실패작이 이만큼이면, 머릿수가 부족한 거 아냐?

멈칫

!

아직 브리잇취 기간이 남았으니, 그 사이에 채우겠지.

남은 놈들 채가려고 안달이겠구만.

애새끼 몇 명 부족하다고 얼마나 전전긍긍하며 쪼아댈지…

어떨 때는 사냥 놀음 같다니까.

또 축복 받으러 온 녀석들만 뚫어져라 쳐다보고 있겠네.

말은 바로 해야지. 그게 축복 받으러 오는 거냐?

빵 한 조각 얻어먹으려고 오는 거지.

……!

그도 그러네. 큭큭.

형, 그냥 나도 저거 하면 안 돼?

안 돼.
안 하겠다고
형이랑
약속했잖아.

나도 저 빵
먹어보고
싶었는데…

무슨 일이니?

으앗!

여기 있다가,
저기 멋있는 분
앞에 서는 거야.

이 아이가
축복을 받고
싶다고 합니다.

처음부터 알고
있었던 거다.

축복을 받는
그 순간에
목표가 된다는걸.

듣자하니
어떤 얼간이가
한 놈 놓쳤다는
소문이 돌던데?

다들 그 녀석을
찾으려고
혈안이겠군.

이젠 빵 받으러
오지도 않을 텐데
어떻게 찾아내나.

발에 불 나겠네,
불쌍한 놈들.

다 챙긴 거
맞지? 가자.

끼이익···

뚜벅 뚜벅···

내가 그 아이를
위험에 빠뜨렸어.

내가···!

죄인이 되는 것은
익숙하다.

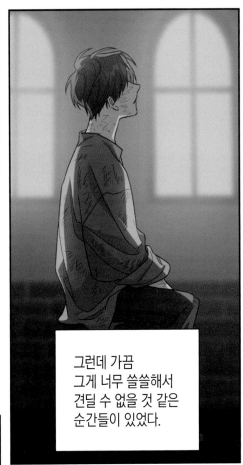

손대는 일마다
어그러지는 것도,

그런데 가끔
그게 너무 쓸쓸해서
견딜 수 없을 것 같은
순간들이 있었다.

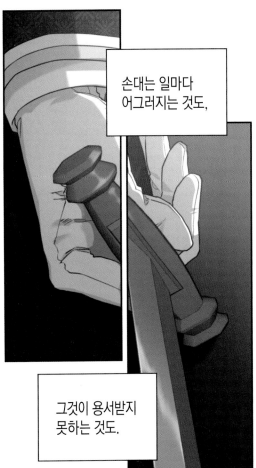

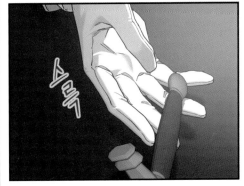

스륵

그것이 용서받지
못하는 것도.

털그렁..

이안, 너는 충동을 조절할 필요가 있어.

꼬옥..

짜악

넌 원래 미련할 정도로 착한 구석이 있어서,

가끔은 그게 답답했거든.

그렇기 때문에 시선을 뗄 수가 없었던 거겠지.

그 녀석 또한 마찬가지로.

걱정하지 마. 잘될 테니까.

그럼 슬슬 위로 올라갈까.

곧 우리의 거래 순번이 될 것 같은데.

판 벌려 놓은 놈들을 털어내 보자고.

방금 무슨 이야기를…

그렇게 성급한 성격인 줄은 몰랐습니다, 헤론 추기경.

그간 제가 예하를 잘못 본 모양이군요.

데르윈의 추기경, 베로니카 안트베르.

기사단을 움직이겠다니, 무슨 생각이죠?

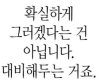

확실하게
그러겠다는 건
아닙니다.
대비해두는 거죠.

아시다시피 유사시
기사단을 움직이려면
추기경의 과반수가
동의해야 하지
않습니까?

현재 데르윈에
추기경은 셋.

그중
데릭 추기경은
동의하지
않을 겁니다.

그래서 절 미리
포섭하겠다는 건가요.

설득의 근거는
근래 소문이 돌던
그 인신매매
건입니까?

단순한
인신매매 건이라면
정예병을 파견하는
정도로 충분하죠.

그럼?

정황 증거가
있습니다.

그 사건에
아르카이아가
연관되어 있을
가능성이 큽니다.

제 기사가
'저주'에 의해
부상당한 것은
충분한 증거가
되지 않습니까?

…요즘
전쟁 소문이
돌던데,

그런 선동적인
소문을 근거로
절 설득하려 했다면,
정말 예하께는
실망…

현장에서
보고가 들어오면,
바로 기사단을
투입할 겁니다.

그만한 흔적이
남았다면,
평범한 사람은
아닐 겁니다.

......

찾아내야죠.

얼굴은 평소와
같은 것처럼
보이지만…

드물게
초조해하는군.

보나마나
이안 글로스터에게
문제가 생긴 거겠지.

헤론 추기경이
그 기사에게
일어난 일들에 대해
유난스럽게 구는 건,

새삼스러운 일이
아니니까.

알겠습니다.
그렇게 하죠.

다만, 확실한 보고가 올라왔을 때 찬성하겠습니다.

물론입니다. 이해해주실 줄 알았습니다.

추기경께서 흔쾌히 동의해주시니 기쁠 따름이군요.

후에 식사 어떠십니까? 대접하겠습니다.

됐습니다. 차만 한 잔 더 부탁드리죠.

레일라, 차를 더 부탁합니다.

……

이안
글로스터라…

쓸 만한 패가
될지도 모르겠군.

당신에게
새로운 제안을
하고 싶은데.

새로운
제안?

가텔 같은
소인배와
일하다보니까
영 못 미더워서
말이야.

나는 지금
새로운 사람을
찾고 있거든.

휩쓸리긴 했지만,
정신 차리고 보면
좀 이상해.

그렇게 뭐든지
다 이해하는 것처럼
구는 게…

그러고서는
아무 일도
없었던 척…

!

츠츠

소군

나만 보고 있으면 안 되지.

얼굴 뚫리겠네.

……

질끈!

짜아아아악...

흥

애 하나를 놓쳤다지?

우리가 그 녀석을 찾아줄 수 있어.

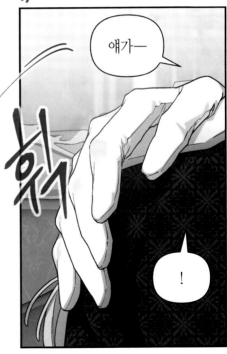

얘가―

휙

!

'그걸' 볼 줄 알거든.

휘청

덥

?!

깜짝

그렇게 되면 당신은 든든한 수급처를 하나 얻는 거지.

그럼 어디
데려와 봐.

자신이 있다면
증명할 수 있겠지.

너를 포함해서
안전은 내가
보장해.

이건
믿어도 돼.

브리잇취 주간이
끝나는 날까지
기한을 주지.

정말 데려온다면
그 제안,
생각해보지.

여기가
레아 님께서
사용하실
방입니다.

필요하신 것이
있다면 언제든지
불러주십시오.

탁

팟

저벅

저벅

너 아까 그거
대체 뭐야?!

뭘?

애를 거래
조건으로 걸다니,
제정신이야?

설마 정말로
그럴 리가.

네가 여기서 의심받지 않고 나갈 수 있게

그 녀석들이 원하는 것을 들어주는 척 한 거야.

……!

그러면 도리어 너는 로디를 보호할 수 있게 되지.

네가 걱정할 걸 모를 것 같았어?

또… 또 저렇게 날 잘 아는 것처럼…

……

멈칫

이안, 이리 와.

따로 다니다 보면 너 혼자서는 위험할 수도 있어.

마력을 다루는 법을 알려줄게.

평소에
무의식적으로
마력을 억누르고
있었으니,

처음엔
끌어내는 게
잘 안 될 거야.

끌어내는 건
도와줄 테니까
넌 마력을
움직이는 것에
집중해.

우선
간단한 것부터
해 볼까?

주먹을 쥔다고
생각하면 저절로
손가락을
굽히는 것처럼,

네게 연결된
마력을 감각으로
움직인다고
생각하는 거야.

일단 이걸
납작하게
만들어 봐.

빤

꼼지락…

응.

납작하게…?

으물텅

찌글

파들

파들

마력량이
너무 큰 바람에
조절이 배로
어려운 거로군.

씨익

불안하겠지만—

탁

네가 이걸
제대로 쓸 줄
알게 되면,

그땐 너에게
'저주'가 아니라
힘이 될 거야.

할 수 있어.

…또.

…원래 이런 식으로 말하는 편이야?

이번엔 그러고 싶지 않을 뿐이야.

네가 이걸 가르쳐주는 이유가 나와 거래를 했기 때문이 아니라…

마치 나를 안심시키기 위한 것처럼 느껴져.

지금 내가 잘못 생각하고 있는 건가?

…지킬 수 있었던 것을 지키지 못해서…

후회를 했던 적이 있어.

조금 쉰다더니
지쳐서
곯아떨어졌군.

훈련으로
그렇게 마력을
터뜨렸으니…

더 묻지도 못하고
혼란스러워하는 게
빤히 보였지만…

털썩

아직은
아니야.

네가 좀 더
스스럼없이
나를 믿게 되면…

계십니까?

……

달칵

끼

이

이

이

실례합니다.

가텔 후작의 대리인
'레아' 님이
맞으십니까?

이안을
자주 찾아왔던
기사로군.

러셀이라고
했던가.

그렇다만,
무슨 용건이지?

늦은 시간에
찾아뵈어
죄송합니다.

보안 절차상의
문제로

머물고 계신
모든 손님들을
확인하고 있습니다.

절차에 응해
주시겠습니까?

일행까지
함께 확인
부탁드립니다.

빤,,

수상하기
짝이 없군.

까딱,,

절차라니…

고위 귀족들이
참여하는 행사에
그런 게 있을 리가.

뻔하지.
'그 녀석'이
보내서
왔겠어.

이안같이
개인으로
움직이는 게
아니고서야,

멀쩡한 기사가
이런 곳에
출입할 리가 없지.

낌새를
눈치챈 건
저쪽도
마찬가지인가.

내 이름만으로도
검증은 충분히
되었다고 생각하는데.

확인이라도
시켜주고 싶지만,
공교롭게도
어려울 것 같군.

지쳐서 잠든 사람을 깨우기는 좀 미안해서 말이야.

오늘 하루가 고됐던 모양이야.

축축…

……!!

…적절치 못한 때에 찾아뵌 것 같군요.

안다니 다행이군.

그럼, 나를 찾은 용건은?

굳이 '절차'가
아니어도
내게 할 말이
있을 것 같은데.

······

그때도 바쁘셨었는지
의례가 끝나니
안 계시더군요.

일행 분과
함께 계셨지요.

혹시 최근에
브리잇취 의례에
참석하지
않으셨습니까?

···눈썰미가
좋은데?

그 녀석이 생각보다
쓸 만한 녀석을
주변에 두었군.

사람을
착각한 것
같은데?

나는 타지 사람이라 여기까지 오는데도 시간이 꽤 걸리거든.

여기엔 가텔 후작의 대리로 왔을 뿐이라 잘 모르겠군.

그러고 보니 후작께서는 어떤 일로 참석을 못하셨는지…

실례가 많았습니다. 좋은 밤 되시길.

그래. 내일 홀에서 볼 수 있다면 좋겠군.

곰 들이닥치겠군.

늘 있는 후작의 건강 문제야. 원한다면 안부라도 전해주지.

이름이?

…아닙니다. 후에 제가 직접 찾아가 뵙죠.

쨱쨱

쨱

쨱
쨱

......

이런 게
익숙해져도
되는 건가…

이 녀석…
옆에 사람 없으면
못 자는 거 아냐?

물끄럼..

만지작..

지킬 수 있는 걸
지키지 못해서
후회한 적이 있거든.

그래서 이번에도
걱정된다는 거야,
뭐야?

오지랖도
넓긴…

이 녀석의 행동이
어떤 의도이건 간에

내면이 따뜻한
사람이라는 건
알겠다.

'그 힘'을 가지고도
이런 사람이
될 수가 있구나.

좀 더 일찍
만났다면,

나도 이 녀석처럼
단단해질 수
있었을까ㅡ

같은 실없는
생각을 했다.

끼익

부질없는
생각이지…

탓

일단 파렐이
괜찮은지
본 다음에…

오전 일정이
시작되기 전에
할 일이 많으니
서두르자.

타
다
닷
…

뒤척

……

피식

만지작

자기가
뭘 하고 있는지도
모르는군.

둔하긴.

아이의 상태를
좀 보러 왔는데.

달칵

예. 들어
가십시오.

파렐…

웅성‥

머웃‥

……!

수군
수군‥

진작 생각했어야 했다.

아이들을 올려 보내놓고 신경 썼을 리가 없잖아…!

두리번

성큼

성큼

파렐은 어디 있지?

파렐, 파렐?

멈칫

……!

친구였구나.

그래서
잡혀간다는 걸
알고 있었던 거야.

…나를
원망하지는
않았어?

얘도 같이
구해주면
안 돼요…?

형만 아니었으면
아무 일도
없었을 텐데.

움찔

어차피 다
이거 때문일
텐데…

와
락

……!

그런 생각을
안 한 건
아니에요.

그렇지만…
그래 봤자
우리도 언젠간
잡혀갔겠죠.

나랑 로디,
저주 갖고 있는 거
알고 있었어요.

내가
구해줄게.   걱정하지 마.

약속을 해도
되는 걸까?

내가 할 수
있을까?

그렇지만,
이 힘을 가졌다고
이렇게 울게
두고 싶진 않아.

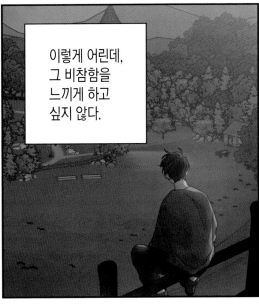

이렇게 어린데,
그 비참함을
느끼게 하고
싶지 않다.

파렐,
그건 저주가
아니야.

그건 언젠가, 네게 저주가 아니라 힘이 될 거야.

너 때문이라고 생각하지 마.

잘될 거야.

불안하겠지만 조금만... 참고 기다려줘.

응...

어떻게든 해결할 거야.

꽈악

끝까지 털어주겠어.

뚜벅

뚜벅

뚜벅

뚜벅

뚜벅

파렐을
달래긴 했지만
얼마나 버텨줄지…

네가 걱정하는 일은
일어나지 않을 거야.
약속할게.

그러니까
안심하고
기다려.

당장이라도
데리고 나오고
싶지만…

그 녀석 말마따나
섣불리 움직이면
공연한 의심을 산다.

그렇게 아이들을 방치한 걸 보면,

확실히 브리잇취 기간이 끝나기 전까지는 손대지 않을 테지.

내가 자리를 비우는 동안은 그냥 놔두는 게 안전해.

연회 기간은 총 5일.

뚜벅

뚜벅

그중 이미 하루가 지났고, 마지막 날에는 다시 돌아와야 하니

내게 확보된 시간은 아마도 3일 정도···

멈칫

···누군가 날 따라오고 있다.

그럼
누구지?

파티의
주최가
붙인 건가?

아니, 주최라면
지금 여기에서
붙일 이유가
없어.

어디
간 거지…?!

러셀…?

저 녀석이
어떻게
여기에…!

러셀이 여기
있다는 건…

헤론 님이
직접 보내셨다는
뜻이다.

푸벅

헤론 님이
성기사단의 부단장까지
파견하는 일은
드물어.

그런 경우라면
데르윈의 보안과
관련된 문제일 테지.

푸벅 푸벅 푸벅

아르카이아인이
관련되었다는 걸
눈치채신 거야.

푸벅

그렇다면
높은 확률로…

잭과 이야기를
해봐야 해.

탓

성기사단의
부단장이
여기 있었다고?

교단이 아르카이아와
이 사건이 연관되었다고
판단한 거야.

그러면
그 녀석이 찾는 건
너겠지.

게다가 나도
최근에 너랑 같이
다녔으니, 눈에
띄었을 수도 있어.

아, 그…
러셀이라는
녀석?

러셀이 이 파티에서
일어난 일을 헤론 님께
보고할 상황을
생각하면…

지금 당장
여기에서
나가야 해.

아마…
바로 나를
찾으실 테니까.

가텔의 저택에 들러
로디까지 살피려면…
시간이 촉박해.

……

정말 그래도
되겠어?

혼란스러운
표정이잖아.

멈칫

당장 떠나야
하는 것보다
신경 쓰이는 일이
있는 것 같은데.

역시 아이들이
걱정되는 거야?

……!

…방금 전에
파렐을
보고 왔어.

혼란스러워
하고 있었다고.

덥

어떻게든
이 상황을
해결해야 해.

그런데 교단이 이 사건을 알아챘어.

만약 그로 인해 때를 맞추지 못하기라도 하면…!

이안.

잠깐, 진정해.

퍼뜩!

……!

아이들이 걱정되는 것도,

교단의 간섭을 걱정하는 것도 알겠어.

그래서 심란한 거였구나.

나랑 같이 생각하면 되잖아.

뭘 그렇게 혼자 걱정해.

…같이?

그래, 같이.

…네가 왜?

네 목적은
전쟁에 관한
소문을 알아보는
거였잖아.

그랬지.

그렇지만,
네가 중요하게
생각하잖아.

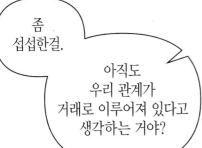

좀
섭섭한걸.

아직도
우리 관계가
거래로 이루어져 있다고
생각하는 거야?

혹시 내게
하고 싶은 말이
있어?

멈칫

그럼 이번엔
거래가 아니라
서로 '약속'을 하지.

…약속해.

내 일을 마치고
무슨 수를 써서라도
돌아올 테니까

너도 꼭
아이들을
구해내야 해.

네 목적이
달성되었다
하더라도…

그걸 잊으면
안 돼.

…불안한
거겠지.

여태까지
모든 걸
혼자 감당해
왔을 테니까.

무사히
구해낼 수 있어,
이안.

일이 쉽지는
않겠지.

하지만
그 고단함조차
구해내기 위한
과정이 될 거고,

결국엔
'우리'의 뜻대로
될 거야.

약속해.

……

약속이라고…

신에 대한
맹세도 아닌…

그런데 왜
이 녀석의 말을
이렇게 간절하게
믿고 싶어지는 걸까.

응.

그저 말로 하는
한 인간의
언약일 뿐이다.

그럼, 갈까?

탁

우리가 먼저
가야 할 곳은?

끼익

가텔의
저택부터.

후

욱

우선은…

손을
잡기는 무슨.
어림없어.

팔락

아르카이아와
연관이 있을지도
모르는 녀석이야.

그 대리 녀석,
예전부터 수상하다고
알음알음 소문이
돌았었잖나.

팔각

그리고 보니
가텔의 대리 놈
말입니다.

정말로
손을 잡을
생각이십니까?

그래도 가텔이
멍청해서 쓰기
좋았는데요.

거래 내역을
아르카이아인에게
들키지 않기
위해서라도,

관련 가능성이
있는 사람은 최대한
조심하는 게 좋아.

자칫 들켜서

우리가 전쟁의 빌미가 되어서는 안 되지 않겠나?

시발점이 데르윈의 윗선이라는 게 탄로 났다가는

그 죄를 다 뒤집어쓰는 희생양이 될 게 뻔해.

목숨 내놓을 각오가 아니고서야 아르카이아인과 손잡을 수는 없지.

그럼 그자와의 거래는…

애초에 들어줄 생각도 없었어!

내가 왜 아르카이아인일지도 모르는 수상한 녀석과 손을 잡겠나?

예? 아니 그럼, 왜 그렇게 흔쾌히 받아들이셨습니까?

이용하기 위해서이지.

어린놈의 머릿수 하나가 부족한 게 아쉽긴 하지만…

오히려 그 하나를 버리고 이득을 취할 수 있다면, 그 편이 낫지.

이득이라 하시면…?

아이를 찾아올 수 있다고 자신만만해 하는 걸 보면,

정말로 어떻게든 아이를 찾아낼 수 있거나 이미 확보한 게 분명해.

그 녀석이 아이와 있을 때 문제를 만들어주면 되지 않나.

말라비틀어진 아이와 함께 발각된다면 그야말로 최고이지.

벌써부터 낌새를 눈치채고 우리를 조사하려는 녀석들이 수두룩한데,

이 김에 그 녀석에게 죄를 뒤집어씌우자고.

저 봐… 아르카이아인이 전쟁을 하려고 한다…!

좋은 방법
이십니다…!

지금 당장
자객과 함께
마력을 추출하는
사람을 보내.

겁도 없이
이곳에 발을 들이다니.
쓴맛을 보여줘야지.

또 형태가
무너진다.

하…

털썩

그래도 이제
터지지는 않으니
다행인가…

……

브리잇취 주간이
끝나기 하루 전에는
돌아갈게.

하루 전.
알겠어.

그 자식은 대체 왜 자꾸…!!

파 파 파 파

그런데… 오늘따라 이상하게 저택이 너무 조용하다.

이 시간쯤이면 사용인들이 개인 일과를 마무리할 텐데…

어쨌든…꼭 제때 맞춰서 돌아가야해.

삘떡

돌아다니는 소리조차 들리지 않는 건 좀 이상해.

……

확인해 봐야겠어.

후작이 몸져 누워 있으니 신경 쓸 사람이 없는 거겠지.

우리에겐 잘된 일이야.

찾아야 하는 놈이 어떻게 생겼다고 했지?

5살쯤 되는 아이라던데…

경비라고는 허술한 놈들밖에 없군.

잠입이 이렇게 쉬울 줄이야.

쯧. 저기 있군.

빨리 처리하고 나가자고.

버러지 같은
새끼들…

시간이 얼마나
걸리…

크아악…!!

애가
자고 있는데
시끄럽게 하면
안 되지.

나머지 한 놈은…
겁먹고 도망쳤나.

그래 봐야
가까운 탈출로는
뻔하지.

으아악⋯!

주춤

슥

내가 좀
물어볼 게
많거든?

들어왔으면서
어딜 그렇게
도망가?

저벅..

저벅..

무

득

…확실한 건 헤론 님은 아니야.

철두철미하신 분이니,

결코 앞길에 걸림돌이 남을 만한 짓은 하지 않으신다.

그렇다면 나머지 둘 중 하나…

대충 알겠어. 그럼 너희는 증거가 되어 줘야 하니,

일이 끝날 때까지는 여기에 처박혀 있어야겠어.

뭐?!

말도 안 돼!

이봐, 이봐!

일단은 성기사단으로 돌아가야 해…!

그 자선 행사에 아르카이아인이 관련되어 있다는 건 확실합니다.

참석한 귀족들마저 다들 알고 있더군요.

귀족들에게서 아이들을 사서 아르카이아로 보내려는 듯한데…

어째서 아이들을 사들이는 것인지는 아직 파악하지 못했습니다.

다만 어렴풋이…

'저주'에 관한 이야기가 나오는 걸 보니

멈칫

아르카이아는 그 힘을 노리는 게 아닐까 싶습니다.

…아르카이아인이라
추정되는 자가
있었습니까?

…가텔 후작의
대리로 온 자가
수상쩍었습니다.

최근 가텔 후작을
상담한 것이
이안인 것으로
미루어보면,

이안도 그자를
알아보기 위해
접근한 것이
아닌가 싶습니다.

심증일
뿐이지만

지난 의례 때
이안과 함께
있던 자와
같은 사람인 것
같습니다.

챵!

이안은 지금
방에 있습니까?

뭐지?
평소보다
반응이…

…이안은
근신 이후로 좀처럼
밖으로 나오지
않고 있으니,

지금도 방에
있을 겁니다.

그리고 보니
올려 보낸 음식도
잘 먹지
않았습니다.

아무래도
책임감을 느껴
상심이 큰 게
아닐까
싶습니다.

가텔 대리의
일행이 이안이
맞다면…

없을 수도
있겠지만.

멈칫

......?!
방금 뭐라고…

이안의
방으로 가죠.

예?

푸벅

푸벅

책임감이라…

그럴 리
없을 텐데.

......

예.

뭔가…
상태가 좀
이상하신데?

조사의 결과를
알려줘야
하니까.

뚜벅

앗, 헤론 님! 안녕하세…

뚜벅

……

파악

뚜벅 뚜벅

헤론 님…?!

성큼

성큼

성큼

성큼

절그럭 절그럭!

꽈 아...

아 악...

우직...

헤론 님!
그 녀석이 최근에
문을 잠그는 일이
종종 있어서

얼레 벌떡

열쇠를
가져왔습니다.

제가
열겠습니다.

잘그락

문을
잠근다고...?

잘그락

철컥

찡이잉...

파악

·····!

성큼

우뚝

끼익!

끼익.

찰박 찰박

촤아

타
사!

뚝··

아.

뚝··

촤아··

헤론 님.

…가텔 대리의
일행이
아니었던 건가?

아무래도
내 억측이었나보군.

뚜벅

뚜벅

뚜벅

꽈

악

움찔

……?!

……?!

뭐, 뭐지?

향료를 섞은
약재의 향―

저,
헤론 님?

뚜벅

빠ㄴ…!

이안에게
이번 사안을
전달하셔야…

뚜
벅

스륵…

멈칫

…그랬죠.

이안,
지난 사고의
조사 결과가
나왔습니다.

아이를 유괴하려던
패거리를 조사하니
인신매매가
연루되어 있더군요.

더불어, 그 사건이
아르카이아인과
관련이 있다는 보고가
들어왔습니다.

쯔빗

역시
알아차리셨구나.

그것 때문에
기분이
안 좋으신 거야.

그래서
그 거래 현장에
기사단을
파견해서

주동자와
아르카이아인을
색출할
계획입니다.

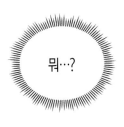

뭐…?

그…
헤론 님.

기사단을 움직이려면
다른 추기경님들의
동의가 있어야
하는데…

그 절차를
밟기엔
시간이 오래
걸릴 것
같습니다.

차라리
다른 방법이
좋지 않을까요?

……

이미
베로니카 추기경과
이야기를
마쳤습니다.

곧장 승인 서류를
받을 수 있으니
그 점은
걱정 마세요.

그럼 러셀,
기사단의 지휘를
맡기겠습니다.

뭐?
러셀에게
맡긴다고?

러셀을 필두로
기사단이 파견되면…
잭은 반드시
잡힐 거야.

이대로
그 녀석이 잡혀가게
둘 수는 없어…!

제가,

제가
가겠습니다…!

원래 제가
조사하던 사건이니
제가 더 잘
알 겁니다.

연루된 자가
누구인지도
잘 알고 있습니다.

그리고 오랫동안
얼굴을 비춘 제가
허를 찌르기도
유리할 겁니다.

그러니까…

꼭

그곳에 가야 하는
이유가 있습니까,
이안?

그…

달싹!

이안의 생각에는
저도 동의합니다,
헤론 님.

흠칫

러셀…?

비록 이안이
근신 중이지만
사안이 사안이니,

이 사건을 잘
알고 있는 사람을
보내는 게 나을 것
같습니다.

실패해서는
안 되니까요.

그리고,
평소라면
분명…

근신 조치를
풀어주기 위해서라도
이 일은 이안에게
맡겼을 것이다.

이안이 성과를
내도록 해서
면죄부를
주셨을 테니까…

근데 이번엔
대체 왜
저러시는 거지?

……

알겠습니다.
이안에게 맡기죠.

탁

……!

대신—

데르윈 성

사락 사락

팔락

예하의 뜻대로
기사단을
파견하게
되겠군요.

슉

그런 것치고는
석연찮은 부분이
있으신
모양입니다만.

어렵지 않게
알아챌 정도는
되는군요.

심기가 불편해
보이십니다,
혜론 추기경.

…그렇게
보입니까?

교단의 이름으로
기사단을
파견한 이상

반드시
아이들의 안전을
먼저 생각하셔야
합니다.

그리고
아르카이아인이
색출되더라도,

명확한 진상을
알아내기 전까지는
신중히 대응하십시오.

……

무언가가
예하의 뜻대로
되었건,
되지 않았건

이것만은
명심하십시오.

아직 소문뿐인
전쟁의 화근이
되고 싶지 않으시다면
말입니다.

기사단의
파견 준비가
거의 끝났으니…

바로 오늘 밤에
출격할
예정입니다.

…물론입니다.

출격 시간은
언제입니까?

연회장 내에 있는
귀족 및 관련자들을
한 명도 빠뜨리지 말고
구속한다.

기사단
정렬!

특히
타국인을 발견할 시
바로 보고하도록!

알겠나?

예!

......

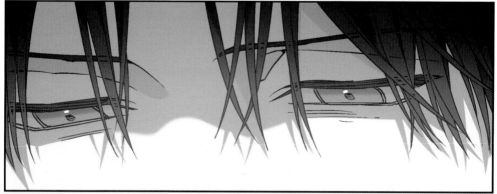

호위병들을 제압하고, 아이들의 안전을 확보 후 신호를 보내겠습니다.

그때 기사단이 진입한다면 빠르게 상황을 정리할 수 있을 겁니다.

…신호를 보내기 전에 어떻게든 잭을 탈출시켜야 해.

연회장 내에 보안을 위한 호위병들이 있습니다.

제가 먼저 위장 잠입하여 상황을 살피는 게 좋을 것 같습니다.

……

이안은 언제나 맡은 일을 빈틈없이 처리했죠.

책이 도망갈 수 있는 시간은 그리 길지 않아.

문질... 8

하지만 어떻게든…

어떻게든…!

이번에도 그럴 것이라고 믿습니다.

자선 연회가
열리는 저택

톡톡톡!

달칵!

아무도 없어.

끼이이··

탓

잭은 아직
방으로 돌아오지
않은 건가?

잭 말고
왜 여기에
다른 사람이…!

…저항을
하지 않아?

당신,
누구야?

누군데
이 방에
들어와서…

이안,

잠깐
기다려.

잭…?!

손님?!

잠깐이라고 했잖습니까…

우리를 도와줄 사람이야. 내 호위거든.

손님맞이치고는 좀 과격하지 않아?

……!

하아아…

……!

그…

괜찮아. 튼튼하니까.

…미안합니다.

아닙니다…

호위가 있었어? 언제부터?

원래 있었지만, 다른 일을 시켰었지.

상황을 정리하면 이곳을 빠져나가야 하잖아.

마차를 준비해뒀어.

혼잡해진 틈을 타서 마차로 슬쩍 탈출하면 돼.

빠져나갈 방법을 마련했었구나…!

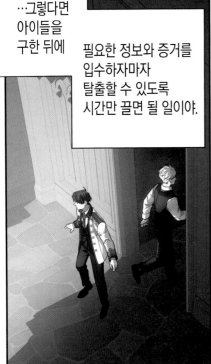

…그렇다면 아이들을 구한 뒤에

필요한 정보와 증거를 입수하자마자 탈출할 수 있도록 시간만 끌면 될 일이야.

탈출 루트와 반대되는 곳에서 신호를 터뜨리면…

이 녀석이 진입하는 기사단과 마주치는 일은 없겠지.

빡

......

너는 밖에서
별일 없었어?

멈칫

무슨 생각을
그렇게 해?

아니,
별거 아니야.

흐음.

……

달싹.

나한테 무슨 일이 있을 리가.

평소 같았어.

묵묵...

…없었어.

……?

반응이 이상한데?

……

……?

그럼 주최에게서 확실하게 정보를 빼낸 후

셋 다 안전하게 이곳에서 빠져나가자고.

클로드를 의식해서 정보를 숨기려는 건가?

하긴 이안은 원래 타인을 잘 믿지 않으니까.

음, 그래. 그럼 우리의 목표는 변함없겠군.

꿀꺽

이쪽에서는 그간 이 건물의 설계를 파악했어.

클로드가 좀 수상하게 생기긴 했지만, 유능하거든.

…끙

그럼 일단 앉지.

뚜벅

훗

뚜벅

건물의 약도를 만들었으니, 보고 이야기를 나눠보지.

약도를 가져와.

…예.

왜 그러는 거지?

이안 글로스터… 유난히 초조해 보이는군.

아이들이 끌려오는 일은 오늘 오전을 기점으로 끝이 났어.

마력 추출은 아마 오늘 밤에 한꺼번에 하겠지.

추출한 마력은 내일 낮에 운송할 생각일 거야.

내일?
확실해?

거의
확실해.

브리잇취 관람객들의
귀향길에 섞여서
은밀하게 이동할
셈인 것 같더군.

…그렇다면,
귀족들의 발을
잡는 것보다
아이들을 먼저
빼와야 해.

좋아.

아마 아이들을
추출 방으로
이동시키고
있을 거야.

바로
움직이자.

한눈팔지 말고
따라와!

데르윈 성

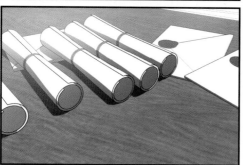

달칵

기사단이
작전을
마치기까지는

한나절 이상이
걸릴 것으로
예상된다고
합니다.

보고가
올라오기 전까지는
좀 쉬시는 게
어떨까요?

이번 일은 사안이 사안이니 만큼

언제 일촉즉발의 상황이 되어도 이상하지 않습니다.

마음 놓고 있을 수는 없죠.

헤론 님께서도 신경을 많이 쓰시는 건지,

즉각 대응을 위해 집무실에서 대기 중이시긴 합니다만…

그래도 몸이 상하지는 않으실지…

지끈!

……

오늘 헤론 추기경께서 예민하시기는 하셨지요.

아, 오늘 심기가 좀 불편해 보이셨죠…

저도 그 정도로 화가 나신 건 처음 봤습니다.

무슨 일이 있었습니까?

아무래도
이안 경
때문이겠지요.

아까 이안 경의
방으로 가시는
모습을 보았는데,
얼마나 무시무시한
표정이셨는지…

이번 일이
중대한 사안이긴
하지만,

그보다도
화가 나신 건
이안 경 때문인 것
같습니다.

평소에는
그렇게 온화하신데,
이안 경의 일에는
늘…

멈칫

…또
이안 글로스터.

…예하께서
'그런 성격'이라고
생각하십니까?

예?
그, 그렇지
않습니까?

관할지뿐만 아니라
데르윈 전체에
명망이 있으신
정도니까요.

…베로니카
추기경님은
그렇게 생각하지
않으시는 건가요?

물론, 나쁜 의미로 말하는 것은 아닙니다.

음… 확실히…

헤론 님께서는 너무 완벽해 보이는 느낌이 있긴 하니까요.

마치 그린 듯이 이상적이시죠.

'너무 완벽해 보이는.'

다들 그리 여길 정도로 수완이 뛰어나고 맺고 끊음이 확실한 자야.

힐긋

신뢰감이 높은 최측근조차 위화감을 느끼는 걸 보면

나만 그렇게 느끼는 게 아니라는 거군.

달각

그런 그가 유독
이안 경의 일에
동요한다는 것은…

이안과 관련된
무언가에
집착한다고
생각할 수밖에는…

이안 글로스터,
그 자체에
집착하는 것이든지.

혹은—

자선 연회가
열리는 저택

꾸물거리지 말고
빨리 저 방으로
들어가!

방에 들어가면
얌전히 앉아서
자기 차례를
기다려라!

잭이 먼저 방에
숨어들기로
했으니,

그곳에 있던
추출자들을
처리해 뒀겠지.

추출자들은 내가
처리할게.

뚜벅

뚜벅

너는
인솔하는 자를
처리한 후에
아이들을 보호해줘.

대체 뭘 믿고
혼자 들어가겠다고
한 건지 모르겠지만,

그 녀석이 스스로
먼저 하겠다고 한 건
실패한 적이
없었으니까,

내가 여기서
아이들을
보호하기만 하면…

저벅...

파렐…!

뚝

뭘 그렇게
무서워해?

호의호식하게
해줬으면,
은혜를 갚을 줄
알아야지.

우뚝

평소에
쓸모가 없었으니,
지금이라도
쓸모 있게 굴어야
할 거 아니야.

아니면 누가
너희 같은 녀석들을
신경이나 써주겠어?!

특히 거기,
너 같은 애들
말이야.

어디서
눈을 부라려!
괘씸한 자식.

계속 그렇게
쳐다봐라, 어?

너 갑자기
잘못되어도
난 모른다.

파

악!

?!?

뚜벅

뚜벅

네까짓 거
쥐도 새도 모르게
사라져도…

콱

순걸

……!!

털썩!

이 자식이
뚫린 입이라고…

탓

형…!

와

락

!

팟!

로디는요?

로디는
무사해.

엉겨
주춤..

…그리고
너희들도
그럴 거야.

……!!

파렐,
일단 잭에게
가자.

너희들도
따라와.

끼익..

멈칫

팍

움찔

잠깐,
들어오지 마.
여기서 기다려.

......?

아,
금방 왔네.

천장까지…
아니, 방 안 전체에
마력이 닿아 있어.

마력이
이 정도인 게
밝혀지면, 그저
구속으로 끝날
문제가 아니야.

기사단에게
발각되는
순간…

반드시 교전이
일어난다.

그때는
내 선에서 수습도
불가능해…!

절대
발각되게 해서는
안 돼…!

이안?

…여기서는
잠깐 따로
움직이자.

나는 아이들을
안전한 방으로
데려다주고 올게.

너는 먼저
호위 기사들을
처리하고 있어.

……

…그래.

탁

응찔

그럼 대신
이렇게 하자.

……?

파
아
앗

……!
손목에 걸어 뒀던 사슬…!

이건…
뭐야?

네가
가텔의 저택으로
돌아간 동안
네 마력이 느껴지지
않았거든.

네가 멀리 있어도 내가 널 잃어버리지 않도록

좀 더 단단한 결속이 필요하다고 생각했지.

그리고 너 또한 나를 찾을 수 있게 해줄 거고.

이 팔찌는 내가 널 어디서든 찾을 수 있게 해줄 거야.

받아주겠어,
이안?

탈출구는 저택과 충분한 거리가 있군.

이쪽으로 나오기만 하면 그 뒤에 도주하는 건 쉽겠어.

옹성;

바스락

......?

웬 인기척이지?

저택에서 멀지 않은 곳인데.

사박

확인해
둬야 해.

사박

……!!

데르윈의
기사단…?

대체
어떻게…?!

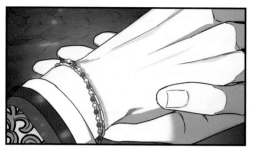

···그건 이전의
사슬과는 달리,

원한다면
언제든 네 손으로
벗어버릴 수 있어.

……

달싹!

하지만 언젠가
너도 나를
찾고 싶어진다면…

툭

그때는
팔찌를 낀 채
네 마력에
집중해.

…아마
찾아갈 수는
없을 것이다.

그러면
내가 어디에 있는지
어디서든
알 수 있을 거야.

여기서 무사히
탈출시키기만 해도
다행일 거야.

나는 그 책임을 지고
오랫동안 죽은 듯이
지내야겠지.

그렇지만
이 녀석이 어딘가에
존재한다는 걸
아는 것만으로도…

덜 외로울 거야.

꼬옥..

고마워.

나의 존재를
부정당하지
않는 안도,

생소할 만큼이나
마음에 남았던
위로,

난생처음 해봤던
평범한 대화들이

고통스러울 만큼
그립겠지만…

짜
악
.

이 녀석을
잃을 수는 없다.

그렇게 낯부끄럽게 말하는 건 어디서 배웠는지…

멈칫

어쨌든 선물이니, 고맙게 받을게.

스륵

그럼 각자 이동하자. 시간이 많지 않으니까.

아이들을 안전한 방에 데려다주고 돌아올게.

쭈욱

……

주최의 방 문 앞에서 만나.

…그래.

정문과 가장 가까운 방이니, 기사단이 들어오면

바로 아이들이 발견되겠지.

이 아이들의
안전 확보가 우선이니
제일 먼저 구출될 거야.

파렐.

?

조금 있으면
구해줄 사람들이
올 거야.

그때까지 여기서
기다리고 있어.

…형들은요?
같이 안 가요?

……

나랑 그 녀석은
할 일이 좀 더
남았거든.

…그만
가봐야겠다.

뻗떡

형!

…구하러
와줘서
고마워요.

…나야말로.

뚜벅

뚜벅

뚜벅

지긋지긋한 순찰도
오늘로 끝이로군.

이걸로
마지막…

저택의 약도에
나와 있는 출입문은
전부 열어두었다.

기사단을
진입시킬 준비는
끝났어.

이제
남은 건 하나…

반드시 잭을
탈출시켜야 해.

여기서 잭이랑
만나기로
했는데…

탁!

끼익;

…이상하다.

주최의 방으로
가는 복도가
맞을 텐데…
아무도 없어.

끼익;

푸벅

푸벅

게다가
누가 난동이라도
부린 것처럼
어수선해.

푸벅

……!!

타다닷

두리번

방 안에 아무도 없어…!

무슨 일이 일어났던 거지?!

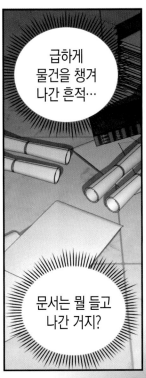

급하게 물건을 챙겨 나간 흔적…

문서는 뭘 들고 나간 거지?

뒤적

뒤적

이렇게까지 급하게 챙겨야 하는 것이라면 분명 중요한 내용이었을 텐데…!

제기랄! 이래서는 구속할 증거가 충분하지 못할 수도…

멈칫

……!

가텔의 저택에 잠입했던 자객들의 전갈…!

팔다리를 부러뜨렸으니 몸을 성히 움직일 수 없었을 텐데,

기어코 빠져나와 전갈만이라도 보낸 건가.

그렇다면 주최자는 이 내용을 보자마자 도주했을 거다.

다른 정보는 뭐가 있지? 남은 게 있긴 한가?

차라리 지금이라도 도주한 주최자를 쫓아가는 게…

……!

용 문양이 그려진 종이…

저건 뭐지?

하여튼
그 자객 놈들은
쓸모가 없어!

애 하나 잡아오는 게
뭐 그리 어렵겠냐고
호언장담하더니!

그 간단한 걸
실패하다 못해
일을 이 꼴로
만들어…?!

그 괘씸한
녀석들 절대
가만 안 두…!!

어이쿠…!

너는 그, 아르카이아인…!

어, 어떻게 무기 하나 없이 여기까지…

그렇군! 네 놈… 저주를 쓴 거야…!

팟

제길, 어째서…

꾸깃!

어차피 너 같은 놈들이 쓰려고

저주를 추출해서 아르카이아로 가져가는 거잖아!

멈칫

……?

마력을 아르카이아로 보낸다고…?

축복의 시간에
아이들을 유인하라는
내용부터

아르카이아로
표시되어
있는 거지?

그 아이들을
추적하라는
내용까지
적혀 있어.

그때 자객들이
말하기를,

추출한 마력은
교단의 고위직들과
연관되어 있다고
했는데…

왜 마력이
모이는 종착지가

〈영원한 계약〉 3권으로 이어집니다.

영원한
계약

안녕하세요.
해진입니다.

벌써 단행본 2권이
출간되었네요!

아시는 분은
아시겠지만,
지난 24년 1월,

〈달콤한 남자〉와
〈영원한 계약〉의
콜라보 카페가 열렸습니다.

저는 특히 체험형 이벤트를
좋아하기 때문에
기대를 많이 했죠.

찰칵 신남

좋지 않나요?
좋아하는 것이
가득한 공간에

같은 걸 좋아하는
사람들이 모여서
그 시간을
즐기는 것이요.

방문해주시는 분들도
즐거운 시간
보내시길 바라며
열심히 준비했습니다.

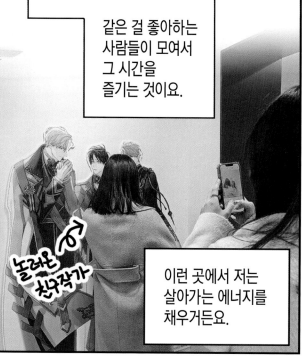

놀러온
친구작가

이런 곳에서 저는
살아가는 에너지를
채우거든요.

그래서 그런지 저는 카페에서
더할 나위 없이 행복한 시간을
보내고 왔습니다.

선물 받은
영약 오타브 안녕♡

방문해주신 모든 분들께서도
그렇게 느끼셨다면 좋겠네요.

다음에는 또 어떤 것을
준비할 수 있을까,
어떤 경험을
드릴 수 있을까.

그런 생각을 하며
기대를 하고 있습니다.
계속 함께 즐겨주세요^^!

초판발행 2024년 4월 15일

글·그림 해진
발행인 정동훈
편집인 여영아
편집책임 이승희·박윤경·정선미
제작 김종훈·박제림
디자인 한미애·박가영
본문구성 문지영
발행처 (주)학산문화사

서울시 동작구 상도로 282 학산빌딩
영업부 828-8984 · 편집부 828-8862
FAX 816-6471
1995년 7월 1일 등록 제3-632호
http://www.haksanpub.co.kr

ISBN 979-11-411-1126-7 07650
ISBN 979-11-411-1124-3 (세트)

값 12,000원

영원한 계약
2

publication right